CEFIN
y Coala Carcus

The Koala Who Could

Rachel Bright

Jim Field

atebol

Mewn man arbennig
ar doriad y wawr,
lle mae'r awel yn fwyn
a'r haul yn fawr,

In a wonderful place,
at the breaking of dawn,
Where the breezes were soft
and the sunshine was warm,

lle mae anifeiliaid
yn cyd-fyw'n llawen ...
roedd Cefin y coala
wrthi'n glynu at ei goeden.

A place where the creatures
ran wild and played free ...
A koala called Cefin
clung to a tree.

Roedd Cefin yn annwyl,
a llwyd oedd ei siwt,
doedd dim yn fwy MEDDAL
na'i glustiau bach ciwt.

A nicer grey fellow
you never would meet,
As SOFT as a SOFT THING
from ear-tufts to feet.

Ei hoff beth oedd gorffwys,
ac yna, yn ail,
fe hoffai gnoi'n araf
ar bwdin o ddail.

His favourite way
to relax in the sun,
Was to cling and to nap
and to munch a leaf-bun.

Gorffwys a chnoi
ar bob math o fwydydd –

He was terribly good
at all these three things –

roedd Cefin yn **GIAMSTAR**
ar aros yn **LLONYDD**.

Yes, Cefin was **KING**
of the **STAYING-STILL KINGS**.

O'i le fry yn y goeden, lle teimlai'n saff a chlyd,
sbeciai ar y ddaear islaw yn ofnus iawn o hyd.
RHY GYFLYM
a RHY WAHANOL
a RHY FAWR
a RHY SWNLLYD.
"Dim diolch," dywedodd Cefin, "dydw i ddim am symud."

You see, high up was safe since he liked a slow pace,
While the ground down below seemed a frightening place.
TOO FAST
and TOO LOUD
and TOO BIG
and TOO STRANGE.
Nope. Cefin preferred not to move, nor to change.

Felly glynodd at y goeden,
a doedd dim arno awydd
troi ei law o gwbwl, byth,
at bethau ofnus, newydd.

So he clung to his tree
as he knew how to do,
And was never too keen
to try anything new.

Un diwrnod, daeth Wombat
i weiddi drwy'r brigau,
"HEI CEFIN! Tyrd i lawr,
mae'n amser chwarae!"

So when Wombat stopped by,
and shouted one day,
"HEY, CEFIN! Why don't you
come down here and play?"

"Ym … na, dwi'm yn meddwl,"
atebodd heb oedi,
"dwi'n brysur iawn, iawn …
alla'i ddim, sori."

"Um … I think," he replied,
"I should stay on my plant.
I'm busy right now …
No. I'm sorry. I can't."

"PAM DDIM?" meddai'r dingos
a phob cangarŵ,
"DOES DIM BYD I'W OFNI,
GO WIR!" medden nhw.

"WHY NOT?" cried the roos,
who liked the idea.
"YES. WHY?" called the dingos.
"YOU'VE NOTHING TO FEAR!"

Ond doedd Cefin ddim
yn anturus, rhaid dweud …
"Mae gen i waith glynu
reit bwysig i'w wneud."

But Cefin, who wasn't
the 'do-things-quick' sort,
Said, "I've clinging to do.
But thanks for the thought."

Wrth eu gwylio yno'n chwarae
a chwerthin am dros awr,
daeth awydd bach ar Cefin
ymuno â'r hwyl ar lawr.

As Cefin sat watching
them chatter and share,
A part of him wished
he could join in down there.

Ond cofiodd Cefin wedyn
ei bod hi, wedi meddwl,

But he knew he'd miss home
in the dark and the late.

yn hwyr y nos, a'i goeden
yn ddiogel, wedi'r cwbwl.

The whole thing was risky,
adventure could wait.

Dim ots pwy fyddai'n gofyn,
dywedai NA'n ddiogel.
O diar, roedd Cefin druan ...

Whatever the invite,
he'd always say NO.
Oh dear, it seemed Cefin ...

... yn methu gollwng gafael.

... just couldn't let go.

Ac o ddydd i ddydd
aeth ei fywyd ymlaen,

So his life was the same,
no matter the day.

o wythnos i wythnos,
yn union fel o'r blaen.

The weeks came and went,
and the months rolled away.

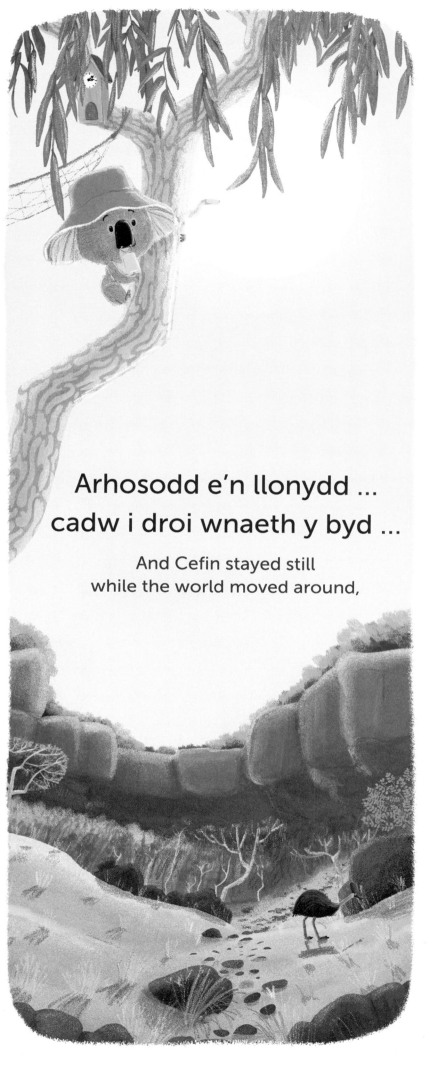

Arhosodd e'n llonydd ...
cadw i droi wnaeth y byd ...

And Cefin stayed still
while the world moved around,

nes i sŵn **PRYDERUS** iawn
ei ddeffro'n
ei goeden glyd ...

Until he awoke to a
WORRYING sound ...

TAP
TAP
TAP
TAP

o hyd a glywai.
Doedd hyn ddim yn dda!

The sound went
Well. . . this was a blow!

TAP THAP a a TAP
a a TAP

THAP
a

THAP
a a

TAP
a a

... o na!

Oh no!

"PAID Â GLYNU!"
gwaeddodd pawb
o dan y goeden uchel,

"UN-CLING!"
the crowd called,
that had gathered below.

"neidia – fe ddaliwn ni ti
rhaid iti ollwng gafael!"

"Leap and we'll catch you!
Just let yourself go!"

Ond roedd ofn ar Cefin.
"Gollwng gafael?!"
dwedai'n chwim,

But Cefin was scared.
"Let go? **NO**, I shan't!"

"no wê, dwi am aros,
o diar, **FEDRA' I** ...

"I won't!" clung on Cefin.
"Oh dear, **I JUST** ...

DDIIIIM!"

CAAAAANNN'T!"

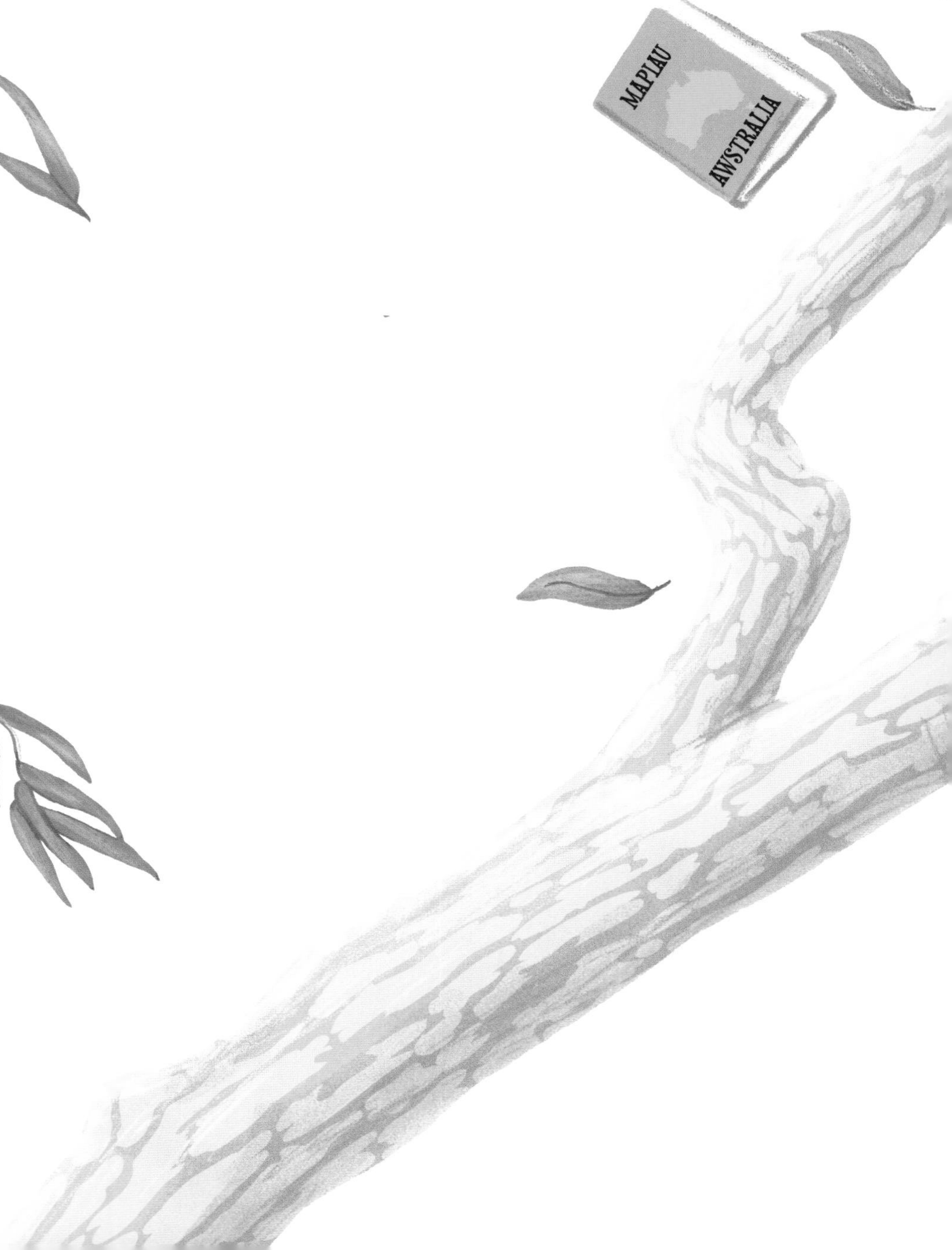

WOOOOOOMPT!

I lawr ddaeth y goeden
gan ysgwyd a chrynu
a chracio a chlecian ...
a Cefin yn dal i lynu!

Down came the tree with a cracking and pinging.
Crash and a **WALLOP** ... with Cefin still clinging!

Agorodd un llygad yn araf a gofalus,
a gwelodd bawb yn edrych i lawr arno'n gariadus.

Ac yna'n garcus iawn, gollyngodd ei afael ...
teimlai'n **HEINI** a **HAPUS**
er gwaetha'r holl gawdel!

Cefin, he carefully opened one eye
and looked up at the love staring down from the sky.

Then one-claw by one-claw, he slowly un-clung ...
He felt **SPRINGY** and **LIGHT** and **HAPPY** and **YOUNG!**

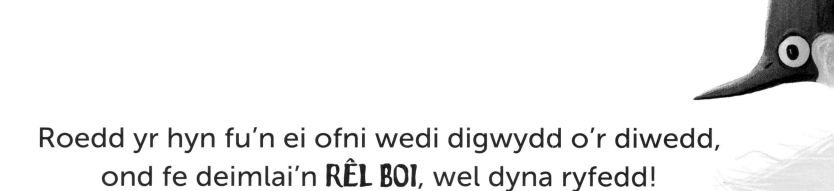

Roedd yr hyn fu'n ei ofni wedi digwydd o'r diwedd,
ond fe deimlai'n **RÊL BOI**, wel dyna ryfedd!

A phan gododd Wombat ac estyn ei law,
gafaelodd Cefin ynddi heb ofn na braw.

The worst he could think of had now come to pass
and he was **JUST FINE**. Why, he felt quite first-class!

So when Wombat held out a most welcoming paw,
Cefin, he didn't hold back any more.

A phan ofynnodd Dingo, "Wyt ti am ddod i chwarae?" gwrandawodd pawb yn astud ar Cefin bach a'i eiriau.

Agorodd ei geg yn fawr, dechreuodd weiddi, "Hei, dwi'n meddwl fod gen i ateb, a'r ateb yw ...

When Dingo asked, "Now will you come out to play?"
The crowd all joined in with a "what-do-you-say?"

And even though this wasn't part of his plan,
Cefin replied, "Yes! I think that ...

YDW GLEI!"
I CAN!"

Roedd Cefin y coala
o hynny 'mlaen yn **LLON**,

And Cefin, from then on,
was always **CAN-DO** ...

oherwydd ei bod yn **HWYL** o hyd
gwneud pethau **NEWYDD SBON!**

Because life can be **GREAT**
when you try something **NEW!**